Robert PINCE

Ma PREMIÈRE HISTOIRE de FRANCE

MILAN
jeunesse

Les hommes préhistoriques

Les hommes de Cro-Magnon s'installent dans le sud du pays, où la température est plus tiède. Ils se servent d'aiguilles pour coudre leurs habits et font du feu pour cuire la viande et se réchauffer. Ils cueillent des fruits et fabriquent des instruments en silex, en bois ou en os pour chasser et pêcher. Sur les parois des grottes, ils peignent des bisons, des chevaux et des cerfs.

Les Gaulois

Notre pays s'appelle la Gaule. Les Gaulois sont des paysans et des guerriers qui travaillent le fer pour fabriquer des charrues et des épées. Ils produisent du vin qu'ils vendent dans toute l'Europe. Ils bâtissent des villes magnifiques, mais ne connaissent pas l'écriture. Leurs druides sont des religieux qui rendent aussi la justice et instruisent les enfants.

2
a guerre
e Cent Ans
La Renaissance
Louis XIV
La Révolution française
La révolution industrielle
La guerre de 14-18
La guerre de 39-45
Le monde d'aujourd'hui

Les Gallo-Romains

Lors de la bataille d'Alésia, les troupes romaines commandées par Jules César ont vaincu les Gaulois et leur chef Vercingétorix. La Gaule appartient désormais à l'Empire romain et vit en paix. De belles routes pavées permettent d'aller partout très facilement. De nouvelles cités sont construites. Comme à Rome, elles se couvrent de monuments et des ponts spéciaux, les aqueducs, leur apportent l'eau.

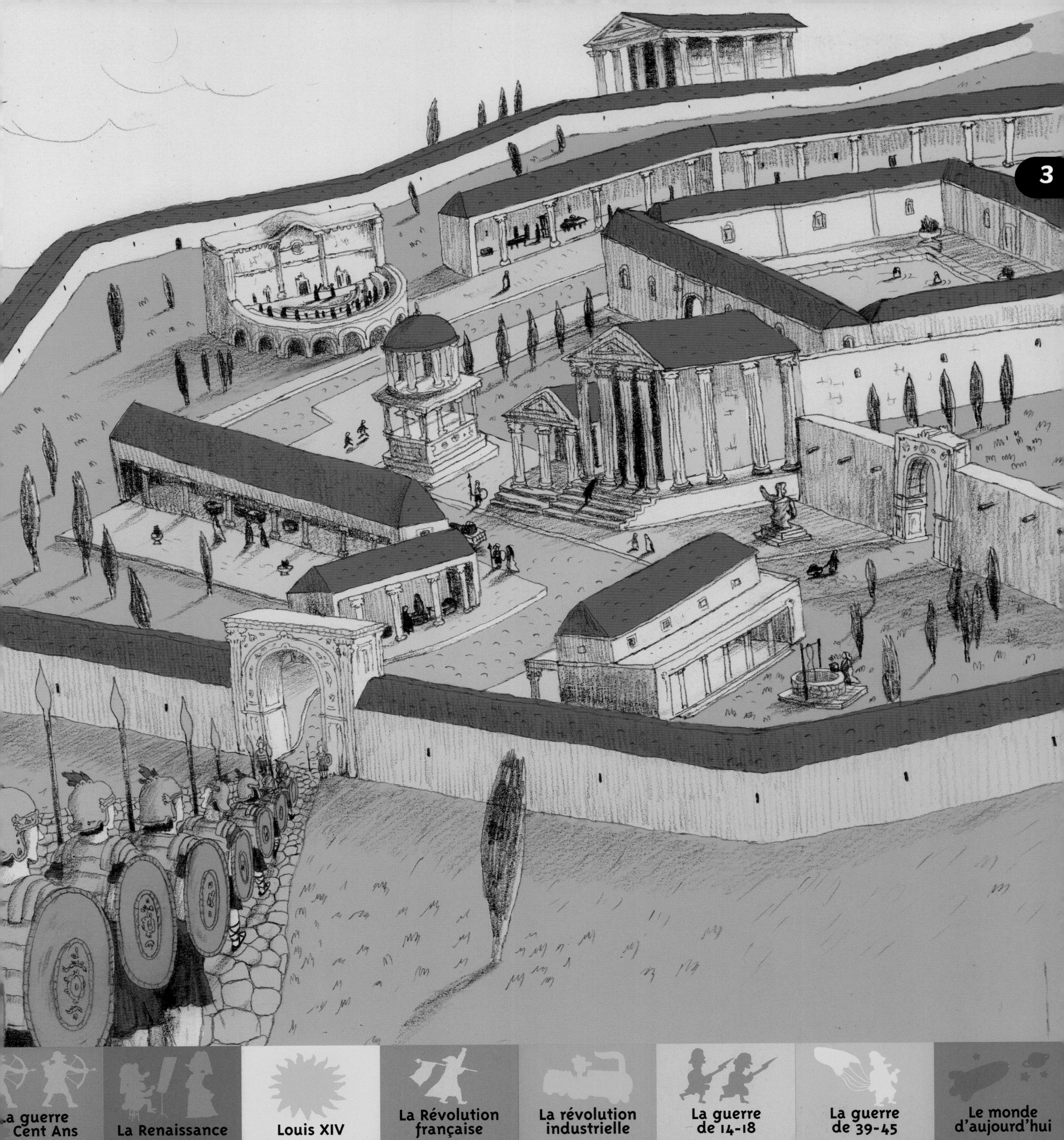

Après les Gallo-Romains, il y a…
Les hommes préhistoriques
Les Gaulois
Les Gallo-Romains
Les Francs
Charlemagne
Les Vikings
Les chevaliers
Le temps de l'Églis

Les Francs

De nombreux peuples, comme les Wisigoths, les Ostrogoths ou les Francs, sont chassés de leur pays par les cavaliers huns et pénètrent en Gaule. Les Francs s'installent dans le nord du pays. Clovis, leur roi, décide de devenir catholique pour être plus populaire : il se fait donc baptiser, avec 5 000 de ses guerriers. Il agrandit son royaume qui va s'appeler le royaume de France.

Après les Francs, il y a...

Charlemagne

Le plus sage et le plus puissant des rois francs est Charlemagne. En faisant la guerre, il agrandit son empire, qui va du nord de l'Espagne à l'Allemagne. Il s'intéresse beaucoup aux études et demande aux pères de famille d'envoyer leurs fils à l'école. Pour fournir des livres aux élèves, les religieux recopient les ouvrages à la main.

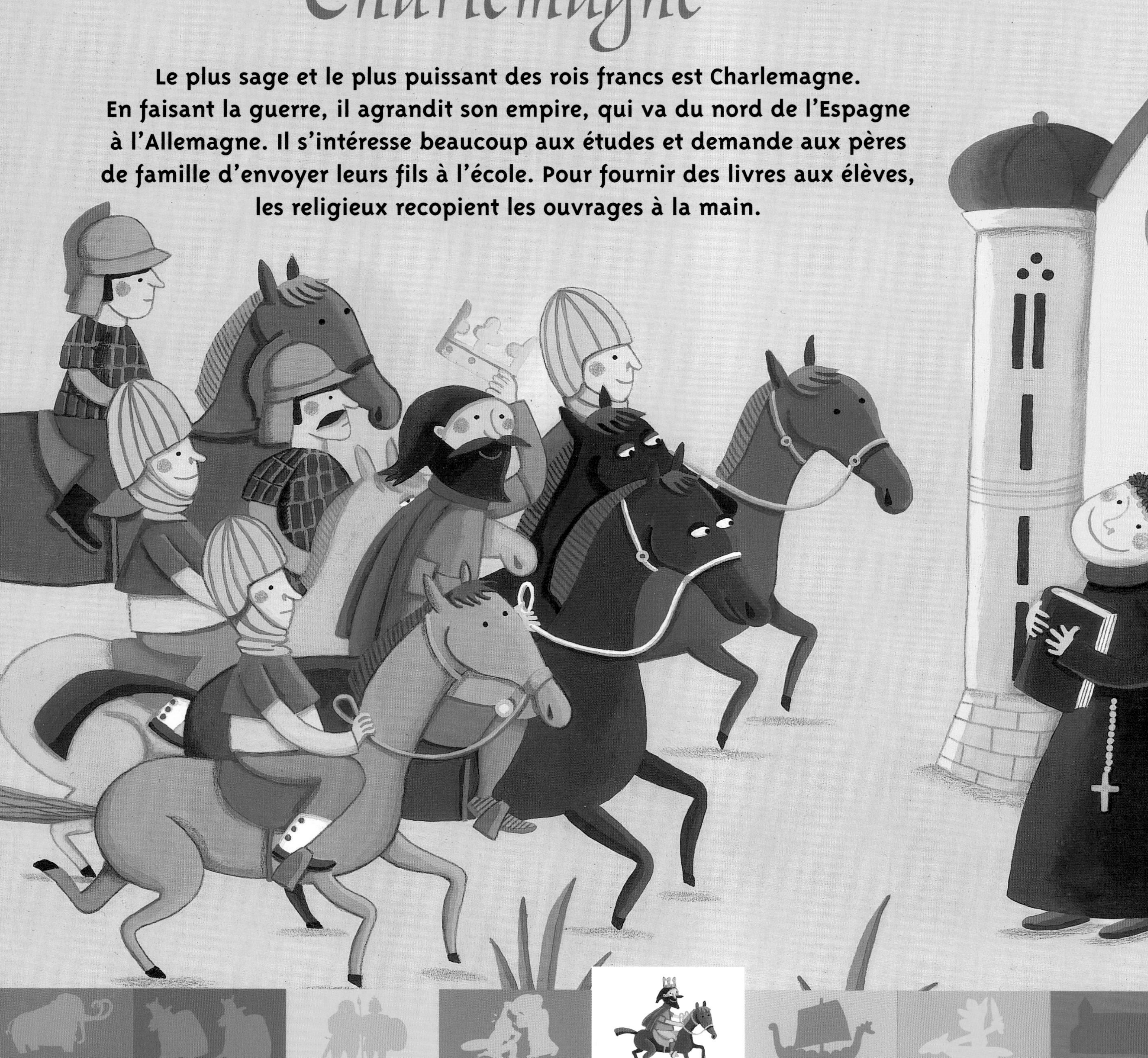

5

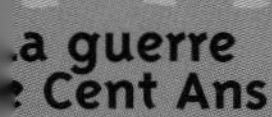

La guerre
Cent Ans

La Renaissance

Louis XIV

La Révolution
française

La révolution
industrielle

La guerre
de 14-18

La guerre
de 39-45

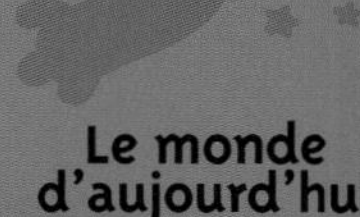

Le monde
d'aujourd'hui

Les Vikings

À la fin du règne de Charlemagne, le royaume de France est attaqué par les Sarrasins et surtout par les Vikings venus du Nord, qu'on appelle aussi les Normands. Les Vikings naviguent sur des bateaux étroits à fond plat, les drakkars. Ils remontent les rivières pour attaquer les habitants et piller leurs richesses. Comme il est difficile de les chasser, on finit par les laisser s'installer en Normandie.

Les chevaliers

Le roi de France est entouré de personnes de confiance, les seigneurs, à qui il donne des terres. Mais bientôt, le roi n'arrive plus à se faire obéir et les seigneurs passent leur temps à se faire la guerre. Pour se défendre, ils engagent des chevaliers et construisent des châteaux forts protégés par de hauts murs. Dès que des ennemis apparaissent, toute la population s'y réfugie.

a guerre
e Cent Ans
La Renaissance
Louis XIV
La Révolution française
La révolution industrielle
La guerre de 14-18
La guerre de 39-45
Le monde d'aujourd'hui

Le temps de l'Église

Les gens du Moyen Âge sont très religieux : ils vont souvent à la messe et donnent leur argent pour construire des églises. Certains font des pèlerinages : ils partent à pied à Saint-Jacques-de-Compostelle, à Rome ou à Jérusalem pour effacer leurs fautes et aller au paradis. Ils vont même faire la guerre plusieurs fois pour libérer le tombeau du Christ à Jérusalem : ce sont les croisades.

8
La guerre de Cent Ans
La Renaissance
Louis XIV
La Révolution française
La révolution industrielle
La guerre de 14-18
La guerre de 39-45
Le monde d'aujourd'hui

Après le temps de l'Église, il y a...
Les hommes préhistoriques
Les Gaulois
Les Gallo-Romains
Les Francs
Charlemagne
Les Vikings
Les chevaliers
Le temps de l'Église

La guerre de Cent Ans

Lorsque le roi Philippe le Bel meurt, les Français et les Anglais se disputent pour savoir qui sera le prochain roi de France. La guerre sera si longue qu'on la nomme guerre de Cent Ans. Après de nombreuses batailles, les Français, aidés par le courage de Jeanne d'Arc, arrivent à chasser les Anglais de France. Mais les combats et la peste, une maladie mortelle, ont ruiné le pays.

Après la guerre de Cent Ans, il y a...

La Renaissance

Les Italiens inventent une nouvelle manière de peindre, de sculpter et de dessiner. Christophe Colomb découvre l'Amérique et les navigateurs portugais font le tour de la Terre. Une nouvelle religion qui critique la richesse de l'Église catholique apparaît : le protestantisme. La guerre entre catholiques et protestants fera de nombreux morts dans toute l'Europe.

10

Après la Renaissance, il y a...

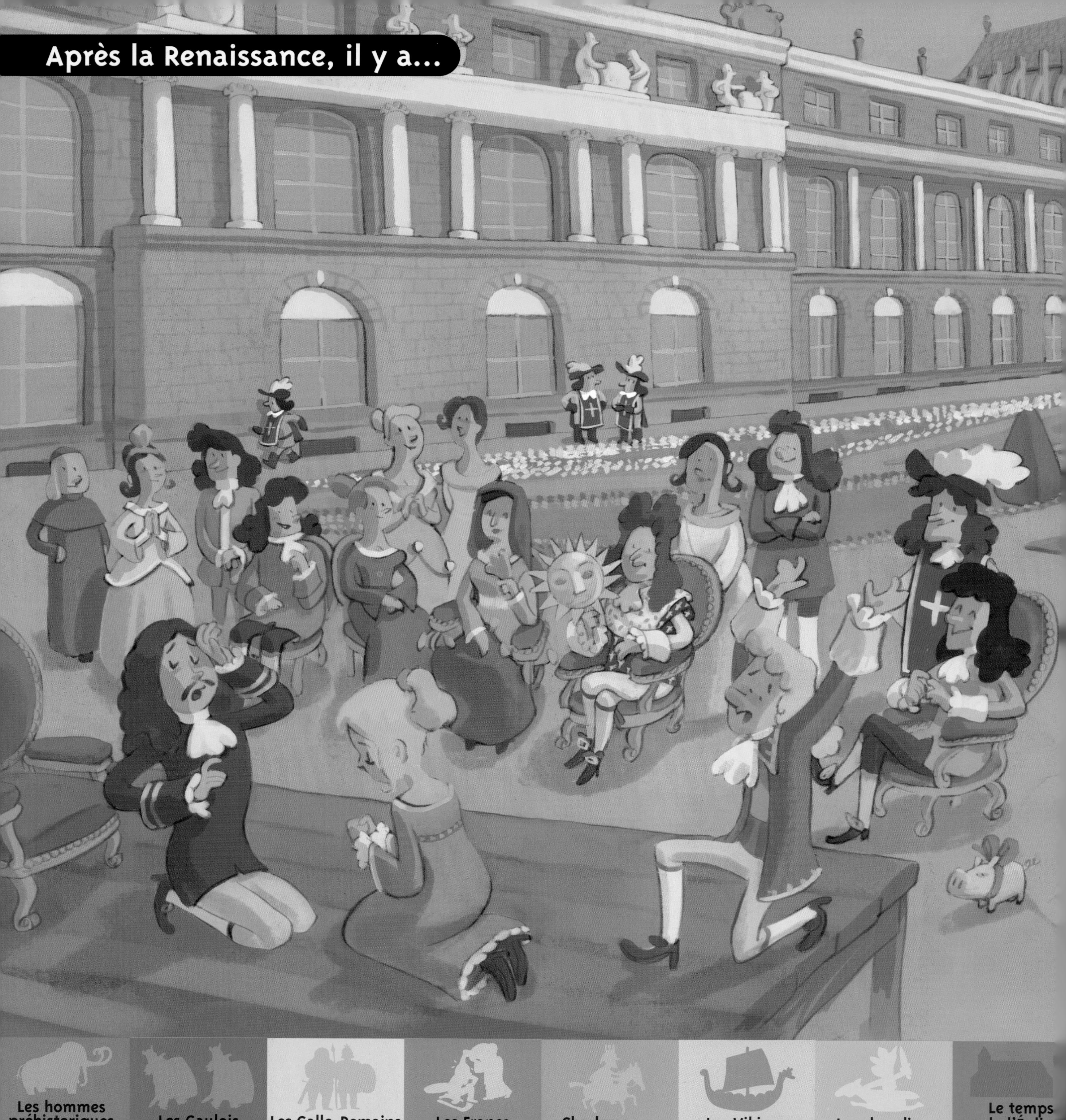

Louis XIV

Louis XIV fait construire un immense palais entouré de jardins : le château de Versailles. Les nobles y vivent une vie agréable marquée par les fêtes. Le roi protège les musiciens, comme Lully, ou les hommes de théâtre, comme Molière. Une armée nombreuse et puissante lui permet de faire la guerre aux autres pays d'Europe. Mais les paysans restent misérables et, certaines années, ils meurent de faim.

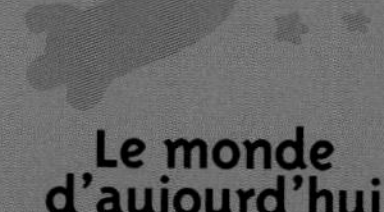

La Révolution française

Seuls les gens les plus pauvres doivent donner de l'argent au roi, ce qui leur paraît très injuste. Ils finissent par se révolter pour vivre plus libres et plus égaux. Les révolutionnaires attaquent d'abord la Bastille, une ancienne prison, puis enlèvent son pouvoir au roi en créant la république. Ils coupent ensuite la tête à de nombreux nobles et même au roi pendant une période nommée « la Terreur ». Peu après, Napoléon Bonaparte devient empereur.

a guerre
Cent Ans
La Renaissance
Louis XIV
La Révolution
française
La révolution
industrielle
La guerre
de 14-18
La guerre
de 39-45
Le monde
d'aujourd'hui

La révolution industrielle

L'invention des machines à vapeur permet d'installer partout des usines. Elles produisent à bon marché des objets qui sont ensuite vendus dans de grands magasins. De nouveaux moyens de transport apparaissent. Malgré ces progrès, les ouvriers sont très mal payés. C'est désormais le président de la République qui gouverne le pays.

a guerre
Cent Ans
La Renaissance
Louis XIV
La Révolution
française
La révolution
industrielle
La guerre
de 14-18
La guerre
de 39-45
Le monde
d'aujourd'hui

La guerre de 14-18

La France et l'Allemagne se disputent les régions d'Alsace et de Lorraine. Chacun des 2 États a des pays amis, si bien que la guerre qui commence en 1914 devient mondiale. Les soldats vivent dans la boue des tranchées et le froid pendant 4 ans. L'arrivée du char permet en 1918 la victoire de la France. Mais la guerre a provoqué la mort de 19 millions d'hommes à travers l'Europe.

14
a guerre
Cent Ans
La Renaissance
Louis XIV
La Révolution
française
La révolution
industrielle
La guerre
de 14-18
La guerre
de 39-45
Le monde
d'aujourd'hui

La guerre de 39-45

Les Allemands, commandés par Hitler, veulent prendre leur revanche. Ils occupent bientôt la plus grande partie de l'Europe, mais n'arrivent pas à battre l'Angleterre et l'URSS. Le 6 juin 1944, les troupes anglaises, canadiennes et américaines débarquent en Normandie. Un an plus tard, Hitler se donne la mort et l'Allemagne arrête la guerre.

La guerre
e Cent Ans
La Renaissance
Louis XIV
La Révolution
française
La révolution
industrielle
La guerre
de 14-18
La guerre
de 39-45
Le monde
d'aujourd'hui

Après la guerre de 39-45, il y a…

Le monde d'aujourd'hui

Pendant les 30 années qui suivent la Seconde Guerre mondiale, la France est entièrement reconstruite. Des bébés naissent en grand nombre et beaucoup de paysans s'installent dans les villes. Malheureusement, certaines personnes ne trouvent pas de travail. Aujourd'hui, la France et l'Allemagne participent au développement de l'Europe pour créer des emplois et éviter toute nouvelle guerre.

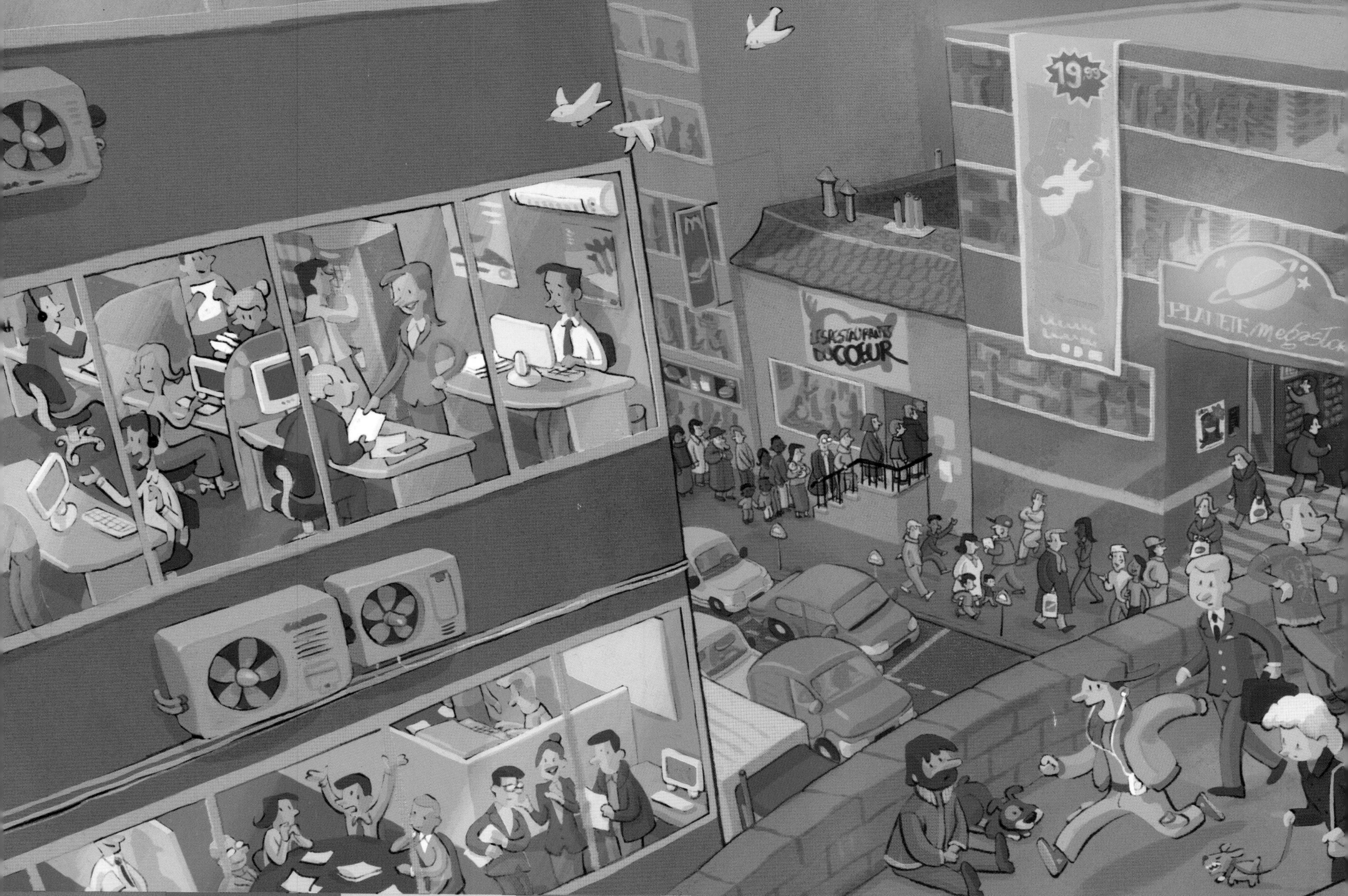

16
La guerre
e Cent Ans
La Renaissance
Louis XIV
La Révolution française
La révolution industrielle
La guerre de 14-18
La guerre de 39-45
Le monde d'aujourd'hui

Les illustrateurs

Émilie Chollat 1
Laurent Audouin 2
Sébastien Mourrain 3
Didier Balicevic 4
Émilie Chollat 5
Gilles Frély 6
Charles Dutertre 7
Sylvie Bessard 8
Gilles Frély 9
Didier Balicevic 10
Hervé Flores 11
Sébastien Mourrain 12
Charles Dutertre 13
Sylvie Bessard 14
Laurent Audouin 15

Hervé Flores 16